AURORA

AURORA

Sigurður H. Stefnisson
Jóhann Ísberg

JPV ÚTGÁFA

Aurora

The name "Aurora Borealis" is Latin and means "the dawn of the north". Galileo Galilei, the Italian scientist, is credited with the first use of the name in 1622. At the latitude where he lived, the colour red is dominant in the aurora, which therefore resembles an early dawn in the northern sky. In the southern hemisphere the same phenomenon is called the "Aurora Australis", and together the lights are known as the "Aurora Polaris".

Auroras are formed in the outermost layer of the atmosphere when electrically charged particles from the sun, or particles excited by solar corpuscular radiation, collide with atmospheric atoms and molecules, primarily oxygen and nitrogen, at an altitude of between 80 and 500 kilometres (50–350 miles), and form visible light. They can be seen in auroral belts that form in the regions around the northern and southern geomagnetic poles.

Aurora

„Aurora borealis" ist die lateinische Fachbezeichnung für das Nordlicht und bedeutet übersetzt: „Nördliche Morgenröte". Seinen Namen verdankt das Nordlicht dem italienischen Astronomen Galileo Galilei, der die Erscheinung erstmals 1622 beschrieben hatte. Rote Farbe, die an eine frühe Morgenröte am nördlichen Himmel erinnert, dominiert im Polarlicht in den Breitengraden, wo Galileo die Erscheinung beobachtet hatte. In der südlichen Hemisphäre ist das Polarlicht unter der wissenschaftlichen Bezeichnung „Aurora australis" bekannt, und gemeinsam werden Nordlicht und Südlicht als „Aurora polaris" bezeichnet.

Das Polarlicht ist eine Leuchterscheinung in den äußersten Schichten der Atmosphäre, wo durch elektromagnetische oder Korpuskularstrahlung von der Sonne freigesetzte Teilchen in 80–500 km Höhe auf atmosphärische Atome und Moleküle treffen, hauptsächlich Sauerstoff und Stickstoff. Polarlichter treten bevorzugt in einem breiten Gürtel rund um die Magnetpole der nördlichen und südlichen Hemisphäre auf.

Polarlichter gehören zu den großartigsten Erscheinungen am Himmelsgewölbe und können mit graziösem, wellenförmigem Tanz das gesamte Firmament ausfüllen.

オーロラ

「オーロラ・ボレアリス（Aurora Borealis）」という名称はラテン語で「北の黎明」を意味する。イタリアの科学者ガリレオ・ガリレイが 1619 年にこの名前を最初に使ったとされている。ガリレオが住んでいた辺りでは、緯度の関係で赤系統のオーロラが主だったため、北の空の黎明の色と類似していたのだろう。南半球では同じ現象を「オーロラ・アウストラリス（Aurora Australis）」と呼んでいるが、両者を含めてこの光は「オーロラ・ポラリス（Aurora Polaris）」又は「極光」として知られている。

オーロラは、太陽からの荷電粒子、又は、太陽の粒子線によって励起された粒子が、高度 80 キロから 500 キロの超高層の大気にある原子や分子、主に酸素や窒素と衝突して発生し、目に見える光となったものであり、北と南の磁軸極の周りの区域で形成されるオーロラ帯で見られる。

オーロラはこの地球上で最も素晴らしい自然現象の一つであり、時には天空のほとんどをおおいつくして速やかに優雅に踊っているようにも見え、その美しさ、素晴らしさは筆舌に尽くし難い。

The aurora is among the grandest natural spectacles on Earth, sometimes covering almost the entire sky, appearing to dance around with such grace and speed that its beauty and splendour defies description.

Myths

The aurora may well have inspired Man's creative impulse as early as the Stone Age, as some carvings resembling the northern lights were discovered in the ceiling of the cave of Rouffignac in France. The oldest confirmed descriptions, however, come from ancient China and Israel. In the sixth century B.C., Ezekiel, a Jewish prophet, saw the aurora and described it as follows: "… a whirlwind came out of the north, a great cloud, and a fire infolding itself, and a brightness was about it, and out of the midst thereof as the colour of amber, out of the midst of the fire." (Ezekiel 1:4).

It is not surprising that people living in southerly latitudes, who saw the aurora perhaps once or twice in a lifetime, would associate it with the supernatural. In

Mythos

Polarlichter haben schon die Menschen der Steinzeit inspiriert, wie Höhlenmalereien, die das Nordlicht repräsentieren, in Rouffignac in Frankreich bezeugen. Die ältesten überlieferten Beschreibungen stammen jedoch aus China und Israel. Im 6. Jahrhundert v. Chr. hatte der jüdische Prophet Hesekiel das Polarlicht beobachtet und mit den folgenden Worten beschrieben: „ … ein Sturmwind kam von Norden her, eine große Wolke und ein Feuer, das hin- und herzuckte, und Glanz war rings um sie her. Und aus seiner Mitte, aus der Mitte des Feuers, strahlte es wie der Anblick von glänzendem Metall." (Hesekiel 1:4).

Es überrascht nicht, dass die Bewohner der südlichen Regionen, die das Himmelsleuchten vielleicht ein- oder zweimal in ihrem Leben zu sehen bekamen, das Polarlicht für eine übernatürliche Erscheinung hielten. In China glaubte man, dass das Polarlicht eine kaiserliche Geburt ankündigte, und sowohl in Europa als auch in China wurden Drachenmythen mit der Aurora in Verbindung gebracht.

In der nordischen Mythologie heißt es, dass das Polarlicht seinen Ursprung im Königreich des Wintergottes Ullur hat. In Skandinavien wurde das Polarlicht häufig mit toten Frauen oder Jungfrauen verbunden. Auch sagte man, dass „alte

神話

フランスのルフィニヤック（Rouffignac）洞窟の天井には、北極光に似たものが彫られており、この発見からわかる様に、オーロラは石器時代から人類の創造力に影響を与えてきた。しかし、確認された最古の記述は、古代中国、及び古代イスラエルのものである。西暦紀元前6世紀に、ユダヤの預言者エゼキエルが、オーロラを見て次のように描写している。「．．．北から旋風がおこった。巨大な雲が火を含み輝いていて、火の中心は琥珀色だった」（エゼキエル　1：4）。

オーロラを、生涯一度か二度くらいしか見る機会のなかった緯度の低い地方に住む人々が、オーロラを超自然的なことと関連づけるのはきわめて納得のいくことである。例えば中国では、オーロラは皇帝の誕生の前兆と信じられていた。また、ヨーロッパ及び中国では、竜の伝説はオーロラに由来するものであった。

China, for example, auroras were believed to portend royal births and both in Europe and China myths of dragons are traced to the aurora.

In Norse mythology, there are tales that the aurora emanated from the kingdom of Ullur, the winter god. In Scandinavia, popular beliefs linked the aurora with dead women or young virgins, or even "old maids dancing and waving their white gloved hands".

The indigenous peoples of the Arctic all had their own versions of what the mysterious lights meant, ranging from the aurora being the gods dancing around in the sky to visions of an illuminated pathway to heaven for the souls of the dead. Some believed it to be the kingdom of the spirits, while still others thought it was the spirits playing a ball game with the skull of a walrus. Perhaps the most innocuous interpretation was that the aurora was a sign of the spirits that bring good weather.

A variety of superstitions arose concerning proper conduct in the presence of the aurora. Whistling in the direction of the aurora was not considered a good idea, as this could cause the aurora to come down from the sky and snatch the whistler or even chop his head off. Clapping one's hands, it was said, made the aurora retreat, and some Inuits even carried knives for protection. As a last

Jungfern tanzten und mit weißen Handschuhen winkten".

Die Eingeborenen in den arktischen Regionen hatten ihre eigenen Erklärungen für die mysteriöse Leuchterscheinung, von tanzenden Göttern am Firmament bis zu einem erleuchteten Pfad für die Seelen der Toten. Die einen sahen im Nordlicht das Königreich der Geister, andere meinten, die toten Seelen würden mit dem Schädel eines Walrosses Ball spielen. Die vielleicht harmloseste Erklärung war, dass die Geister gutes Wetter verkündeten.

Der Aberglaube bestimmte auch das Verhalten. In Richtung der Aurora zu pfeifen, galt nicht als schicklich und konnte zur Folge haben, dass der Pfeifer vom Polarlicht mitgerissen oder sogar geköpft wurde. Händeklatschen konnte bewirken, dass die Aurora sich zurückzog, und Inuit hatten zu ihrem Schutz immer ein Messer dabei. Unglück konnte verhindert werden, indem man gegen das Polarlicht urinierte.

北欧神話では、オーロラは冬の神ウットルル・Ullur の王国で発生したという話がある。スカンヂナビアの俗信では、オーロラを亡くなった女性や処女に結びつけたり、また「踊っている老嬢達が白い手袋をふっている」と言われたりする。

北極圏に住んできたさまざまな民族は、この神秘な光の意味を夫々、独自に説明してきた。その中には、オーロラは死んだ人の魂を天国に導く為に神々が天国への道に見えるように空で踊っているというものがある。また、精霊の王国であるとか、精霊がセイウチの頭蓋骨を使ってボール遊びをしているというものもある。オーロラは良い天候をもたらす精霊達であるというのが、一番あたりさわりの無いものであろう。

オーロラが出ている時、どのように振舞うべきかという事についても、色々な迷信がある。オーロラに向かって口笛を吹くのは良くないことで、オーロラが下りてきて、口笛を吹いた者をさらっていくとか、頭をちょん切るとかいう迷信もある。手を打ち合わせると、オーロラが後退する、などとも言われ、あるイヌイットは護身のためにナイフを持ち歩いた。また最後の手段として凍った尿をオーロラに向かって投げることで、危険を回避できたそうだ。

resort, danger could be averted by throwing urine at the aurora.

The stories and myths are numerous and although we may find these beliefs quaint, they also serve to inform and educate us about different cultures and the myriad of ways in which people tried to make sense of their environment.

History

Late in the Middle Ages, people began to look for more rational explanations for the aurora. Early theories explaining the aurora ranged from ideas of fires at the edge of the world through refractions of ice crystals in the sky to sunlight reflected off polar ice.

These early descriptions contain the seeds of the scientific explanation we hold to be true today. However, as early as 344 B.C., the Greek philosopher Aristotle had started to observe and study the aurora by comparing it to light sources found on Earth.

The first accurate record of the aurora, where it is said to be a natural phenomenon, is contained in the *King's Mirror*, a Norwegian book dating from the 13th century, where it was called "norðurljós", or "northern light".

It was in the first half of the seventeenth century, however, that scientific study of

Die unzähligen Geschichten und Mythen mögen uns heute sonderlich erscheinen, doch sind sie Zeugnis, wie die unterschiedlichen Kulturen ihre Umwelt zu erklären versuchten.

Geschichte

Im späten Mittelalter wurde erstmals nach einer rationalen Erklärung für das Leuchtphänomen gesucht. Die ältesten Theorien rangieren von Feuern am Ende der Welt bis zu Sonnenlicht, das vom Polareis reflektiert und in Eiskristallen der Atmosphäre gebrochen wird.

Diesen frühen Versuchen, das Polarlicht zu deuten, folgten später wissenschaftlich fundierte Forschungen, auf denen unser heutiges Wissen beruht. Schon im Jahre 344 v. Chr. hatte der griechische Philosoph Aristoteles das Polarlicht untersucht und mit anderen irdischen Lichtquellen verglichen.

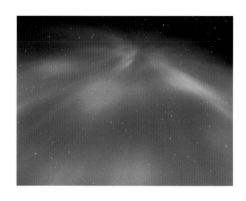

オーロラに関する物語や神話は数多く、なかには風変わりなものもあるが、それらは、色々な民族の文化を知る手がかりにもなり、また人々が自然環境を理解しようとしてきたさまざま方法をも教えてくれる。

歴史

中世記末頃から、オーロラを科学的に説明しようという試みがでてきた。初期の仮説のなかには、オーロラは世界の果てにある火であるとか、また太陽の光が極地の氷に反射され、空中の氷の結晶を通って屈折したものだとかいうものもある。

これら初期の説明のなかには、今日、我々が真実だと考えている科学的説明の芽生えも含まれている。とは言え、ギリシャの哲学者アリストテレスは、すでに、紀元前344年には、地球上の他の光源と比較したりしてオーロラの観測、研究を始めていた。

オーロラを自然現象としてとらえた最初の正確な記述は13世紀にさかのぼり、「王の鏡」というノルウエーの本に示されており、この現象を「北極光」又は「北の光」とよんでいる。

the aurora began. About the time that the name "Aurora Borealis" was introduced by Galileo, there were many reported observations of the aurora. This coincides with a time period that saw very strong solar activity. In contrast, through the second half of the seventeenth century and into the eighteenth century, the minimal amount of solar activity was reflected in the scarcity of aurora reports. This period of inactivity ended with a very strong auroral display in Europe in 1716, which marked the beginning of a new era of increased activity.

In 1600, William Gilbert, an English physician, had shown that the earth is a gigantic magnet. However, at the time no one made the connection between the significance of that discovery and the existence of the aurora, and it was not until early in the eighteenth century that the English astronomer Edmond Halley connected the direction of auroral rays with the geometry of the geomagnetic field and concluded that the two were related.

Die erste dokumentierte Erwähnung als natürliches Phänomen ist in einem norwegischen Buch aus dem 13. Jahrhundert, dem „Königsspiegel", zu finden. Hier wird es auch erstmals als „norðurljós" oder „Nordlicht" bezeichnet.

Doch erst in der ersten Hälfte des 17. Jahrhunderts wurde ernsthafte Forschung mit wissenschaftlichen Methoden betrieben. Zur selben Zeit, als Galileo im Jahre 1619 dem Phänomen den Namen „Aurora borealis" gab, konnte das Nordlicht wiederholt vielerorts in Europa registriert werden. Die Zeit der Beobachtung trifft mit einer Periode größerer Sonnenaktivität zusammen. In der zweiten Hälfte des 17. und Anfang des 18. Jahrhunderts war die Sonnenaktivität geringer und auch Polarlichter wurden nur selten verzeichnet. Im Jahre 1716 wurde in Europa wieder von starkem Polarlicht berichtet, eine neue Ära hoher Sonnenaktivität begann.

Schon im Jahre 1600 hatte der englische Physiker William Gilbert gezeigt, dass die Erde ein gigantischer Magnet ist. Doch erst Anfang des 18. Jahrhunderts verglich der englische Astronom Edmond Halley die Ausrichtung der Polarlichtstrahlen mit dem geomagnetischen Feld und zog den Schluss, dass eine Verbindung bestände.

Jean Jacques D'Ortous De Mairan gab 1754 das erste Buch über das Polarlicht

　オーロラの科学的研究が実際に始まったのは、１７世紀の前半である。ガリレオが1619年に「オーロラ・ボレアリス」という名称を紹介した頃には、様々なオーロラ観測の記録があった。この時期は、太陽活動の盛んな時期と一致している。反対に、17世紀の後半、及び18世紀にかけて太陽活動が盛んでなかったという事実が、オーロラに関する記述の量の少なさにも反映されている。この太陽の不活動期間は、1710年、ヨーロッパで見られた強力なオーロラの出現で終わりをつげる。実際にこの年以降、太陽活動の増加時期に入る。

　1600年、イギリスの医師ウイリアム・ギルバート(William Gilbert)は地球が巨大な磁石であることを示した。しかしながら、この時、誰もこの発見の重要性とオーロラの存在を結びつけて考えなかった。18世紀初期にやっと、イギリス人の天文学者エドモンド・ハーレイ(Edmond Halley)が、オーロラの光線の方向を地球磁場の構造と結びつけ、この両者に関連があると結論づけた。

climatic changes and possible long-term effects on weather.

What Causes the Aurora?

The sun is a burning gas globe with temperatures in its interior exceeding 15 million degrees Celsius at a pressure of about 250 thousand million (10^9) times that of the atmosphere at the surface of the earth. The extreme heat and pressure transforms hydrogen into helium. This fusion, which takes place at the core of the sun, releases a tremendous amount of energy, mostly in the form of radiation but also in the form of charged particles.

At the surface of the sun, strong magnetic fields create sunspots, which appear as dark patches because they are cooler than their surroundings. Sunspots are visual manifestations of solar activity which frequently enhances the stream of charged particles, such as protons, electrons, ions and helium nuclei, that the sun continuously emits. This stream is called solar wind.

nen Formen des Nordlichts, wie und warum das Polarlicht sich räumlich und zeitlich verändert, und interessieren sich für den Effekt der Sonnenaktivität auf den erdnahen Raum, sowie globale klimatische Veränderungen und eventuellen Langzeiteffekt auf das Wetter.

Wie entsteht Polarlicht?

Die Sonne ist eine brennende Gaskugel, die im Zentrum Temperaturen von über 15 Millionen Grad erreicht und einen Druck aufweist, der 250 Milliarden (10^9) mal größer ist als der atmosphärische Druck auf der Erdoberfläche. Extreme Hitze und der hohe Druck bewirken, dass sich Wasserstoff in Helium verwandelt. Bei dieser Kernfusion wird enorme Energie freigesetzt, hauptsächlich in der Form von Strahlung sowie in der Emission von geladenen Teilchen.

Auf der Sonnenoberfläche entstehen durch starke magnetische Felder Sonnenflecken, wo kühlere Temperaturen vorherrschen und die sich als dunklere Flecken von

オーロラの原因は何か？

太陽は燃えているガスの球体で、内部の温度は摂氏1千5百万度以上、その圧力は地球表面の気圧の2兆5千億倍（250掛ける10の9乗倍）もある。
この強度の熱と圧力で水素がヘリウムに変換する。太陽の中心で起きるこの融合で途方もないエネルギーが、大部分は放射線として、残りは荷電粒子として放出される。

　太陽の表面では強い磁場が黒点を作っている。黒点はまわりの温度に比べて低いので黒く見える。太陽が絶え間なく放っているプロトン、エレクトロン、イオン、ヘリウム原子核などの荷電粒子の流れを頻繁に高めている太陽活動が、視覚的に現れたものが黒点である。この流れを太陽風という。

The solar wind is augmented by other solar activity, such as solar flares and coronal mass ejections. The solar wind travels towards Earth at an average speed of 400–500 km/s (about a million miles per hour). The earth's magnetic field traps particles from the solar wind, some of which are guided to regions around the earth's magnetic poles called "auroral ovals". The particles then collide with air molecules in the upper atmosphere, primarily oxygen and nitrogen atoms and molecules, and the collisions release energy, causing the rarefied air to emit the light we know as the aurora.

Auroras occur at altitudes between 80 and 500 kilometres (50 to 300 miles) and only occasionally above or below that height. The average altitude is between 90 and 200 kilometres (60 and 120 miles).

The Auroral Ovals

Auroras most often form annular belts around the earth's magnetic poles. These belts are called "auroral ovals" and have a radius of about 2,000–2,500 kilometres (1,200–1,500 miles) under average conditions. Aurora Australis occurs in the southern hemisphere (southern lights), whereas Aurora Borealis occurs in the northern hemisphere (northern lights). Auroras can sometimes occur at lower latitudes, even at the equator, but this is very rare. The mean geographic location of the auroral oval is termed the "auroral

ihrer Umgebung abheben. Die Sonnenflecken sind die visuelle Manifestation der Sonnenaktivität, die in einem regelmäßigen Zyklus die Emission von geladenen Teilchen wie Protonen, Elektronen, Ionen und Heliumkernen verstärkt. Dieser Teilchenstrom wird auch Sonnenwind genannt.

Der Sonnenwind wird noch durch andere Sonnenaktivitäten, wie Eruptionen auf der Sonnenoberfläche, Flares genannt, sowie chromosphärische Eruptionen verstärkt. Der Sonnenwind bewegt sich mit einer durchschnittlichen Geschwindigkeit von 400–500 km/s (ca. 1 Millionen Meilen pro Stunde) auf die Erde zu, wo er vom erdmagnetischen Feld eingefangen und ein Teil zu den Polarlichtovalen, ovalen Zonen rund um die beiden Magnetpole, abgeleitet wird. Hier kollidieren die Teilchen mit Atomen und Molekülen in der oberen Atmosphäre, hauptsächlich Sauerstoff und Stickstoff, wobei Energie freigesetzt wird, welche die dünne Luft zum Leuchten bringt und auf der Erde als Polarlicht wahrgenommen wird.

Polarlichter treten in 80–500 km Höhe auf und sind nur selten außerhalb dieser Zone zu sehen. Die durchschnittliche Höhe liegt zwischen 90 und 200 km.

Polarlichtovale

Polarlichter treten meist in einer ringförmigen Zone, dem sogenannten Polar-

　太陽風は太陽面爆発（フレア）や、コロナの大突出など、太陽の別の活動によっても増加される。太陽風は平均 400—500 km/s の速度で地球に向かって移動する。地球の磁場が太陽風からの粒子を補足し、その一部を磁極のまわりのオーロラ・オーバルと呼ばれている区域に導く。粒子は超高層にある大気分子、主に酸素及び窒素の原子、分子と衝突して、この衝突の結果エネルギーが放出され、希薄な空気がオーロラとして知られている光を放つ。

　オーロラ現象は高度 80 から 500 キロメートルの高度で起こるが、まれに、もっと上のほうまたは下の方で起こることもある。オーロラの平均高度は 90 から 200 キロメートルである。

zone". This is the region where auroras are most frequently seen.

Heights and Colours

The aurora is caused by energized particles impinging on the atmosphere and colliding with atmospheric atoms and ions. Most of the atmosphere consists of nitrogen and oxygen, which, when hit with the charged particles, emit different colours at different heights. The aurora can be green, red, blue, purple, orange, yellow, or magenta in colour, but the most

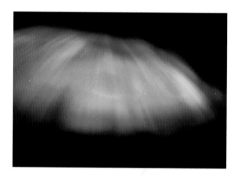

common colour is green. The reason for this is that the light is produced by oxygen, which glows green at altitudes between 90–200 kilometres (60–120 miles). Above 200 kilometres oxygen glows red. This red colour is often present, but most of the time it is too faint to be clear to the human eye. The energy levels of the charged particles also play a role. Blood-red auroras are formed when there is an abundance of electrons that are low in energy. It is rare for this red light to domi-

lichtoval, mit einem Durchmesser von gewöhnlich 2.000–2.500 km rund um die Magnetpole auf. Das Südlicht, Aurora australis, erscheint in der südlichen Hemisphäre und das Nordlicht, Aurora borealis, in der nördlichen Hemisphäre. Die mittlere geographische Ausbreitung des Polarlichtovals, wo das Polarlicht am häufigsten auftritt, wird als Polarlichtzone definiert. Außerhalb dieser Zone ist Polarlicht nur selten zu sehen, auch wenn es schon am Äquator gesichtet wurde.

Höhe und Farben

Das Polarlicht wird durch elektrisch geladene Teilchen bewirkt, die in der Atmosphäre mit Atomen und Ionen kollidieren. Der größte Teil der Atmosphäre besteht aus Stickstoff und Sauerstoff, die abhängig von Element und Höhe Licht in unterschiedlichen Farben freisetzen. Die Farben variieren zwischen grün, rot, blau, violett, orange, gelb und magentarot, am häufigsten ist jedoch grün, das bei der Kollission mit Sauerstoff in 90–200 km Höhe erzeugt wird. In höheren Lagen leuchtet Sauerstoff rot. Rote Farbe ist fast immer im Polarlicht vertreten, jedoch nur schwer mit dem bloßen Auge auszumachen. Auch der Energiegrad der geladenen Teilchen beeinflusst die Farbe. Bei einem hohen Anteil von Elektronen mit geringer Energie entsteht blutrotes Polarlicht. Doch kommt es nur selten vor, dass die rote Farbe dominiert.

オーロラ・オーバル　（Auroral Ovals）

　オーロラはしばしば、磁極のまわりで環状の帯を形成する。この帯は「オーロラ・オーバル」と呼ばれ、通常の条件では半径2000から2500キロメートルの大きさである。「オーロラアウストラリス」は南半球でおこり（南極光）、「オーロラボレアリス」は北半球で起こる（北極光）。めったにないが、オーロラは緯度の低い地方、赤道付近にも現れることがある。オーロラ・オーバルの地理的な位置は、「オーロラ・ゾーン（auroral zone）」と定義されている。オーロラが最も頻繁に見られる区域である。

高度と色

　オーロラは活動的な粒子が大気に突き当たり、大気中の原子やイオンと衝突して起こる。大気のほとんどが酸素と窒素で構成されているので、夫々が荷電粒子と衝突した時に、別々の高さで別々の色を放つ。オーロラの色は、緑、赤、青、紫、オレンジ、黄、または深紅だが、一般的なのは緑である。この色は酸素によって生み出されるのだが、酸素の光は高度90から200キロメートルでは緑色に光るからである。
高度200キロ以上だと、酸素の光は赤く輝く。この赤色のオーロラはよく起こっているのだが、ほとんどの場合、人間の目で捉えるには、その光が弱すぎる事が多い。また荷電粒子のエネルギーレベルが果たす役割も大きい。血のように赤い色のオーロラは、エネルギーの低いエレクトロンが豊富にあるときに形成される。この赤色が優勢になることはまれで、肉眼ではなかなか見えない。

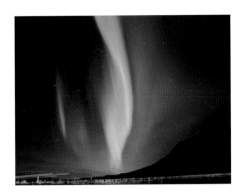

nate and thereby become visible to the human eye.

Particles that are very high in energy sometimes penetrate down to an altitude of about 65 kilometres (40 miles), where they can cause nitrogen molecules to glow a reddish – pinkish colour. This type of aurora forms below very bright and active green auroras and is the closest to the ground the aurora ever gets. When the aurora reaches above the earth's shadow and is exposed to direct sunlight, ionized nitrogen molecules can produce blue and purple colours. This usually occurs when the sun is only a few degrees below the horizon in deep twilight. This colouring is called "resonance scattering" and can also occur when a bright moon reflects the sunlight.

Energiereiche Partikel gelangen bis auf 65 km Höhe hinunter, wo sie Stickstoff zu einem rötlich-rosa Leuchten bringen. Diese Farbe erscheint unterhalb der hellen grünen Färbung. In tieferen Lagen tritt Polarlicht nicht auf. Wenn das Polarlicht die Schattenseite der Erde verlässt und direktem Sonnenlicht ausgesetzt wird, können die ionisierten Stickstoffmoleküle blaues und violettes Licht hervorrufen. Dies ist bei Dämmerung der Fall, wenn die Sonne nur wenige Grad unter dem Horizont steht. Diese Färbung wird „Resonanzstreuung" genannt und kann ebenfalls auftreten, wenn Sonnenlicht vom Vollmond reflektiert wird.

エネルギーの非常に高い粒子が、たまに高度65キロのところまで達することがあるが、この辺りだと窒素分子を赤っぽく、またはピンクがかった色に輝かす。このタイプのオーロラは下の方に非常に明るく活発なオーロラを作成する。地上に一番近く達するオーロラでもある。オーロラが地球の影に届いて、太陽光に直接さらされると、イオン化した窒素分子は青や紫の色を出すことができる。この現象は通常太陽が黄昏時に、地平線下数度に達した時に起こる。この色合いは「共鳴散乱」とよばれ、明るい月が太陽光を反射する時にも起こる。

Suddenly, as if by magic, an enormous part of the sky is filled with greenish lights, reaching, stretching and often shifting very quickly. Just watching them perform their magic can be an exhausting task, let alone capturing them on film.

Plötzlich, wie von Zauberhand hervorgerufen, tanzen grüne Lichter am Himmel, dehnen und strecken sich und bewegen sich mit großer Geschwindigkeit. Schon ihnen mit den Augen zu folgen, kann mühsam sein, und erst recht, sie zu fotografieren.

　突然、魔法のように、大空がすばやく変化しながら伸びたり広がったりする緑の光で覆われた。写真に捉えることが大変なのは言うまでも無いが、この光の魔法を見ているだけでも疲れてしまう。

This photograph was taken near the Nesjavellir geothermal power plant. The orange-coloured lights from the station illuminate the unusually low clouds.

Dieses Foto wurde in der Nähe des Geothermalkraftwerkes bei Nesjarvellir aufgenommen. Das orange-gelbe Licht der Kraftwerkanlage erleuchtet die ungewöhnlich tief hängenden Wolken.

ネシャベトリル・Nejavellir 地熱発電所の近辺で撮ったもの。発電所からのオレンジ色のライトが異様に低い雲を照らしている。

One clear night, Sigurður drove out of town to photograph the comet Hale-Bopp. That same night, this aurora formed in a different part of the sky, making the trip twice as rewarding.

Sigurður hatte die Stadt verlassen, um den Kometen Hale-Bopp aufzunehmen. Zur gleichen Stunde formierte sich an anderer Stelle dieses Polarlicht, das seine Mühe doppelt belohnte.

シーグルヅルは、ある澄んだ夜、Hale-Bopp 彗星の写真を撮ろうと町を後にした。同じ夜、別の方角にこのオーロラが現れて、この旅が2倍にも報われることになった。

On his way home after an uneventful night of aurora chasing, Sigurður drove past this old church, built in 1857. He decided to finish the film and when he had rigged his gear this pretty aurora appeared just where he wanted it. It was so short-lived that he only managed to get one photograph.

Nach einer eher erfolglosen Nacht auf der Jagd nach Polarlichtmotiven passierte Sigurður diese alte Kirche aus dem Jahre 1857. Er wollte den Rest Film verknipsen und machte seine Kamera bereit, als diese wunderschöne Aurora genau dort erschien, wo er sie haben wollte. So kurzlebig war das Ereignis, dass er nur Zeit hatte, eine Aufnahme zu machen.

　オーロラを追いかけまわしたが、たいした収穫のなかった夜、シーグルズルは、帰り道に 1857 年建設のこの古びた教会の側を通りかかった。フィルムを使い切ろうと思って準備をしたところ、この美しいオーロラが、まるで彼の心を察したかのように現れた。しかし、あっという間に消えてしまったので、この一枚の写真しか撮れなかった。

On this particular night it was so windy that Sigurður had to seek shelter from the wind behind a cliff near Lake Kleifarvatn on the Reykjanes Peninsula. The clouds in this photograph are blurred because of the heavy wind.

In dieser Nacht war der Wind auf der Halbinsel Reykjanes so stark, dass Sigurður an einem Steilfelsen am See Kleifarvatn Schutz suchen musste. Die Wolken auf der Aufnahme wirken wegen der starken Windböen undeutlich und verschwommen.

レイキャネス・Reykjaness 半島、クレイバル湖・Kleifarvatn で。
この夜は風がひどくてシーグルズルは近くの岩陰に退避を求めた。風の為に写真の雲が、ぶれてしまった。

One night, Sigurður was relaxing in a hot tub near Lake Laugarvatn when this magnificent aurora started to form. With temperatures well below the freezing point, quick dips into the hot tub between shots saved his limbs. This photograph appeared in the November 2001 issue of *National Geographic*.

In dieser Nacht hatte Sigurður es sich in einem Thermalbecken am See Laugarvatn gemütlich gemacht, als sich plötzlich ein großartiges Polarlicht formierte. Bei Temperaturen unter dem Gefrierpunkt konnte er zwischen den Aufnahmen immer wieder seine kalten Gliedmaßen im warmen Wasser erwärmen. Dieses Foto erschien im November 2001 im *National Geographic* Magazin.

　ある夜、シーグルヅルがロイガルヴァトン湖(Lake　Laugarvatn)近辺の露天風呂でリラックスしていたら、壮麗なオーロラが姿を現しはじめた。零下ゼロの寒さのなかで撮影の合間に時々湯に浸かって、手足を暖めながら撮ったのがこの写真で、2001 年 11 月の National　Geographic に掲載された。

At the foot of a hill, Sigurður finds another good motif for the elusive lights. Fast work is essential, because one moment they look like this and the next they have changed shape completely. The speed at which they appear to be moving is phenomenal, but this is of course just an illusion.

Am Fuße steiler Berghänge hat Sigurður für das schwer fassbare Lichterspiel ein gutes Motiv gefunden. Jetzt ist es wichtig, schnell bei der Hand zu sein. In nur wenigen Augenblicken können Form und Farbe mit unglaublicher Geschwindigkeit wechseln. Doch was das Auge sieht, ist tatsächlich nur Illusion.

　別なところ、フルートの形をした岩で有名な場所でシーグルズルはこの神出鬼没の光を撮るのに良いモチーフを見つけた。素早く仕事をすることが肝心だ。ある瞬間にはこのように見えても次の瞬間には全く違った形に変わってしまうのだから。オーロラが動くスピードは驚異的なものだがこれはもちろん錯覚である。

Mt. Hekla

Talk about being in the right place at the right time! At 23 hours local time on 17 January 1991, this photograph of the famous volcano, Mt. Hekla, was shot just hours after the eruption began. It was the day the Gulf War started, and while most people were at home watching the news, Sigurður and his wife, who happens to bear the same name as the volcano, "Hekla", headed towards the eruption. The weather was bad, with drifting snow and almost no visibility. The gamble paid off, though, as the weather cleared when they reached the volcano and a dazzling aurora formed above the eruption. It only lasted for about four minutes, and Sigurður managed to get eight photographs of this extraordinary phenomenon. Apart from the eruption and the aurora, the constellation Leo can be seen in the background and the streak of light is made by a small aeroplane flying in front of the plume of ash. In 2001, this photograph was chosen as one of the 100 best pictures ever to appear in *National Geographic*. Another of these photographs was sold in a limited edition as a collector's item.

Hekla

Es ist ein unglaubliches Glück, zur richtigen Zeit und am richtigen Platz zu sein. Am 17. Januar 1991 um 23 Uhr wurde dieses sensationelle Foto vom Vulkan Hekla gemacht, nur wenige Stunden nach Beginn der Vulkaneruption. Am selben Tag hatte der Golfkrieg begonnen, und die meisten Menschen saßen vor dem Fernsehapparat, um die Nachrichten zu verfolgen. Sigurður und seine Frau, die wie der Vulkan „Hekla" heißt, hatten sich auf den Weg gemacht, die Eruption mitzuverfolgen. Das schlechte Wetter mit Schneetreiben hatte sie nicht abhalten können. Die Mühe zahlte sich aus. Es klärte sich auf und für nur wenige Minuten bildete sich ein Polarlicht über dem eruptierenden Vulkan. Sigurður hatte vier Minuten Zeit und konnte acht Aufnahmen von dieser außergewöhnlichen Erscheinung machen. Im Hintergrund der Aufnahme ist das Sternzeichen Löwe zu erkennen, und der schmale Lichtstreifen vor der Aschensäule rührt von einem kleinen Flugzeug her. Die Aufnahme wurde 2001 von National Geographic zu einem der hundert besten Fotos des vergangenen Jahrhunderts gewählt. Eine weitere Aufnahme wurde in begrenzter Auflage an Sammler verkauft.

ヘクラ山 (Hekla)

ちょうど良い時期にうってつけの場所にいたとは！この写真は名高いヘクラ山が1991年1月17日、現地時間23時に噴火してわずか1時間後に撮られたものである。この日は湾岸戦争が始まった日で、ほとんどの人が家でテレビのニュースに見入っていた時、シーグルズルと偶然にも山と同じ名前の妻の「ヘクラ」は、噴火を見るため、山の方に向かっていた。天候は悪く、雪が吹き荒れ、視界はほとんどゼロという状態。しかしながらこの賭けはうまくいったのだった。火山の近くまで到達した時には空も晴れてきて、目もくらむばかりのオーロラが噴火の上にあった。たった4分間しか続かなかったのだがシーグルズルは、この驚くべき現象の写真をなんとか8枚も撮ることができた。噴火とオーロラ以外にも、しし座がバックに写っており、火山灰の直前を横切る小型飛行機の光線も見える。この写真は2001年、ナショナル・ジオグラフィック誌の"過去に掲載された最も素晴らしい100枚の写真"の一枚に選ばれた。この時の他の写真はコレクター用に限られた枚数だけが販売された。

On the great, but very cold night of the 18th of February, 2002, some magnificent red and green coronas were forming overhead. In this kind of cold temperature, one should be careful not to breathe into the eyepiece of the camera, as the breath freezes on the glass making framing difficult.

Am Nachthimmel des 18. Februar 2002 hatte sich eine fantastische Korona aus grünem und rotem Licht gebildet. Bei diesen kalten Temperaturen darf man nicht einmal das Objektiv anhauchen, da es sofort vereist.

この2002年の2月18日の素晴らしい夜のこと、頭上では赤と緑の壮麗なコロナが形成されていた。このような寒い温度の時にしてはいけないミスは、接眼レンズに息を吹きかけることで、息がガラスの上で凍ってしまい、フレーミングが難しくなる。

Research of the aurora is ongoing. Scientists have even produced a sort of artificial aurora, that could be seen across Alaska, by releasing barium into the atmosphere. Rockets were used to distribute barium, as they are the only man-made devices capable of operating at the altitude of the aurora.

Die Erforschung des Polarlichts ist in vollem Gange. Wissenschaftler haben eine Art künstliches Polarlicht erzeugt, das in ganz Alaska gesehen werden konnte. Mit Hilfe von Raketen wurde Barium in den höheren Schichten der Erdatmosphäre verbreitet und so ein künstliches Himmelsleuchten erzeugt.

　オーロラの研究は今も進行中である。科学者達は、バリウムを大気中に放出して人口のオーロラを発生させたものをアラスカで観察する事ができた。バリウムを撒くにはオーロラができる高度で起動できる唯一の人造物であるロケットが使われた。

On the way to the Nesjavellir geothermal field near Mt. Hengill, this lovely aurora shot up from behind the clouds. The clouds right above the horizon are lit up by the street lights of Reykjavík, some 30 kilometres away.

Auf der Fahrt zum Geothermalgebiet bei Nesjarvellir blickte dieses wunderschöne Nordlicht hinter den Wolken hervor. Die Wolken am Horizont werden von den Lichtern der 30 km entfernten Stadt Reykjavík erleuchtet.

ヘンギル山・Hengill の近くのネーシャベトリル・Nesjavellir 地熱領域へ向かう途中で、この可愛らしいオーロラが雲の後ろから現れた。地平線近くの雲は 30 キロメートルほど離れたレイキャビク市の明かりに照らされている。

Gullfoss is the most famous of countless impressive waterfalls in Iceland. After several failed attempts at capturing an aurora over Gullfoss, Sigurður finally succeeded in photographing the frozen waterfall with aurora playing in the background.

Gullfoss ist der bekannteste und einer der imposantesten Wasserfälle Islands. Nach vielen missglückten Versuchen gelang es Sigurður endlich, eine Aurora über dem gefrorenen Wasserfall zu fotografieren.

黄金の滝・Gullfoss はアイスランドの数多い見ごたえのある滝のなかでも最も有名な滝である。この滝の上にかかるオーロラを捉えようとして何度も失敗したあと、シーグルズルは動き回るオーロラをバックに凍りついた黄金の滝を撮ることに成功した。

The aurora has an average altitude of between 90 and 200 kilometres (60–120 miles). Occasionally, an aurora can reach altitudes of over 500 kilometres (300 miles) above the earth. The space shuttle usually orbits at an altitude below 500 kilometres.

Das Polarlicht hat eine mittlere Höhe zwischen 90 und 200 Kilometern, doch kann es bis zu einer Höhe von über 500 km auftreten. Die Weltraumfähre umkreist die Erde gewöhlich in einem Radius von weniger als 500 km über der Erdoberfläche.

　オーロラの平均高度は 90 から 200 キロメートルである。まれに 500 キロメートルに達することもある。スペースシャトルは一般的には高度 500 キロメートル以下の軌道を周回する。

Some people claim to hear a pulsating sound associated with the ripples and flow of the aurora. If this is true, the sound must be generated near the surface of the earth by some electromagnetic effect. Noise made by the aurora would take a very long time to travel to Earth and the air at the altitude of the aurora is much too thin to carry sound.

Manche Beobachter behaupten, ein pulsierendes Geräusch gehört zu haben, das sich im Takt mit den Wellen und der Bewegung des Polarlichts verändert. Wenn dies stimmt, muss Geräusch durch elektromagnetischen Einfluss in unmittelbarer Nähe der Erdoberfläche erzeugt werden. Geräusche, direkt durch das Polarlicht erzeugt, bräuchten eine viel längere Zeit, bis sie die Erdoberfläche erreichten. Auch ist die Luft in den oberen Schichten der Atmosphäre zu dünn, um Schallwellen zu übertragen.

　オーロラの流れや波紋に関連した鼓動のような音を聞いたという人々がいる。もし真実だとしたら、なにかの伝磁気現象が地表近くで起きた結果できた音に違いない。オーロラが作る音は地上に届くまでにかなりの時間がかかるし、また超高層の空気は音を伝えるには薄すぎる。

The aurora starts to form as an arc that brightens and moves towards the equator. New arcs form in its wake and striations form upwards and downwards within the arc. Ripples shoot through, forming brilliant curtains of light.

Das Polarlicht beginnt als schwacher Lichtbogen, der immer heller wird und sich langsam zum Äquator zubewegt. Neue Bögen formieren sich in dem Lichtwirbel, schießen wellenförmig nach oben und unten und bilden einen brillianten Lichtervorhang.

　ここではオーロラは輝く弧を描いて始まり赤道に向かって動いている。新しい弧が形成され、すじが弧の中を上から下へまた下から上へとできる。波紋が走り、光のカーテンを形成する。

The lower level of the aurora is about 80 kilometres (50 miles) above the earth. This is about eight times higher than the cruising altitude of commercial aircraft and not even balloons can reach this altitude.

Der untere Rand des Polarlichts befindet sich ca. 80 km über der Erdoberfläche. Das ist ungefähr achtmal höher, als Linienflugzeuge im Personenverkehr fliegen, und auch Ballons vermögen nicht, diese Höhe zu erreichen.

　オーロラの下端の高さは地上80キロメートル位である。これは一般飛行機の高度の8倍で、気球でさえ、この高さに到達することはできない。

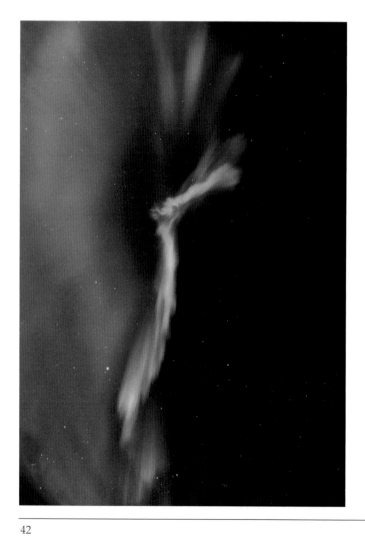

"Coronal mass ejections" are massive eruptions formed in a low-density region surrounding the sun, called the solar corona. They are enormous, often weighing 1 to 10 thousand million (10^9) tons, and are thrown into space at speeds ranging from 20 to 2,000 kilometres per second. Coronal mass ejections occur most frequently at solar maximum, often more than once a day.

Chromosphärische Eruptionen bilden sich in der Korona, einer Region von geringer Dichte und enorm hohen Temperaturen rund um die Sonne. Die Eruptionen können gewaltige Dimensionen haben und 1–10 Milliarden (10^9) Tonnen wiegen. Gas wird mit einer Geschwindigkeit von 20–2000 km/s in den Weltraum geschossen. Chromosphärische Eruptionen treten regelmäßig und bei höchster Sonnenaktivität häufig mehrmals täglich auf.

「コロナガスの噴出」はコロナと呼ばれる太陽周辺の低密度の区域から吹き出していて、太陽コロナと呼ばれている。1-10 億トンもの巨大なもので秒速 20-2000 キロメートルの速さで宇宙空間に投げ出されている。「コロナガスの噴出」は太陽活動が最大の時には 1 日に 1 度以上の頻度で起こる。

Space is the only place where it is possible to observe the entire aurora. Only a partial view is possible from Earth. Astronauts orbiting around Earth have a fantastic view of the aurora, and sometimes they even fly through them!

Nur aus dem Weltall ist die gesamte Aurora zu überblicken. Auf der Erde bekommen wir nur einen Ausschnitt zu sehen. Astronauten haben auf ihrer Umlaufbahn um die Erde oft einen unvergleichlichen Blick auf das Polarlicht, und manchmal fliegen sie mitten hindurch!

　宇宙空間でしかオーロラの全体像を眺めることはできない。地球から眺められるのはその一部に過ぎない。地球をまわっている宇宙飛行士は素晴らしいオーロラを見ることができるばかりでなく、時にはオーロラの中を飛んだりもするのだ。

Icelanders have held many beliefs about the aurora. These include the belief that a red aurora portended war, an aurora with little movement meant calm weather, while a fast-moving aurora signalled a storm. Another, and a more sinister belief, was that if a pregnant woman looked at the aurora her child would be born cross-eyed.

In Island hat das Polarlicht in früheren Jahrhunderten die Fantasie zu den abenteuerlichsten Deutungen angeregt. So glaubte man, rotes Polarlicht kündigte einen Krieg an, Polarlicht mit wenig Bewegung sagte ruhiges Wetter und sich schnell bewegendes Polarlicht einen Sturm voraus. Zum Aberglauben gehörte auch, dass schwangere Frauen nicht ins Polarlicht blicken durften, da das ungeborene Kind ansonsten schielen würde.

アイスランド人の間では，オーロラに関する色々な言い伝えがある。赤いオーロラは戦争の前兆とか、静かなオーロラは良い天候の前触れで、早く動くオーロラは嵐の知らせとかいったものである。不吉なものとしては、妊婦がオーロラを見ると斜視の子供が生まれるなどというものがある。

During the early phase of an auroral storm, a strange phenomenon can occur: Arcs form that align along coastlines. The reason why they follow the shape of the coast below is not fully understood.

In der Anfangsphase eines Polarlichtsturmes kann ein seltenes Phänomen beobachtet werden: Ein Bogen formt sich entlang der Küste. Warum der Bogen der Küstenlinie folgt, ist noch ungeklärt.

　オーロラ嵐の初期の段階では、不思議な現象が起きたりする。オーロラのアークが海岸線に沿って並ぶように見える。何故下の海岸線の形に従うのか、まだ理解されていない。

As seen from the earth, the sun rotates around its own axis every 27 days, much like Earth rotates every 24 hours. Because of this, the solar wind from the sun's particle-producing areas may hit the earth every 27 days, resulting in increased auroral activity and potentially great auroral displays.

Die Sonne rotiert in 27 Tagen um ihre eigene Achse, wie sich die Erde in 24 Stunden einmal um die eigene Achse dreht. Sonnenwind aus aktiven Zonen kann daher die Erde in einem Zyklus von 27 Tagen treffen. Wenn der Sonnenwind auf die Erdatmosphäre trifft, erhöht sich die Aktivität der Aurora und Polarlichter erscheinen in größerer Intensität.

　太陽は地球から見ると、地球が24時間に1回自転しているのと同様、27日周期で自転している。この為、太陽の粒子製造部分からの太陽風は、27日ごとに地球にぶつかって、オーロラ活動も盛んになり、素晴らしいオーロラを見られる可能性が大きい。

An aurora above Mt. Keilir and Afstapahraun lava field. This photograph was used on the NASA-APOD website, as it shows quite clearly the altitude of the aurora above the clouds.

Nordlicht über dem Vulkan Keilir und dem Lavafeld Afstapahraun. Diese Aufnahme wurde von NASA-APOD auf ihrer Webseite abgebildet, da sie deutlich die Höhe der Aurora über den Wolken zeigt.

　ケイリール山・Keilir とアフスターパ溶岩・Afstapahraun の上に現れたオーロラ。この写真は NASA-APODO のウェブ上に掲載された。雲のうえにあるオーロラの高度をはっきりとあらわしている。

An aurora will often appear to extend all the way to the ground, or touch the mountain tops. This is just a matter of perspective and in fact the aurora is high in the sky, hundreds of kilometres away.

Polarlicht scheint sich häufig bis zum Boden zu erstrecken und um die Bergspitzen zu tanzen. Doch ist dies nur ein Spiel der Perspektive, tatsächlich ist das Polarlicht hoch über der Erde und Hunderte von Kilometern entfernt.

　時々オーロラが広がって、地面にまで届くように、または山の頂上にまで達しているように見えることがある。しかしこれはそのように見えるだけで実際のオーロラは上空何百キロメーターの高空で起こっている現象である。

A band of aurora, stretching from horizon to horizon, is but a small part of the auroral curtain that encircles the geomagnetic pole. While it may appear that the bands and arcs of the aurora touch the horizon, they are at least 100 kilometres (60 miles) above the surface of the earth and more than 900 kilometres (550 miles) away.

Ein Polarlichtband erstreckt sich von Horizont zu Horizont über den gesamten Himmel, doch ist es nur ein kleiner Teil des gesamten Polarlichtvorhanges, der den erdmagnetischen Pol umgibt. Es sieht zwar so aus, als würden die Bande und Bögen den Horizont berühren, doch tatsächlich befindet sich die Aurora in mindestes 100 km Höhe über der Erdoberfläche und mehr als 900 km entfernt.

　地平線から地平線にのびているオーロラの帯は、地磁気極を囲むオーロラのカーテンの一部に過ぎない。オーロラのアークや帯が地平線に達しているように見えても、実際には一番低いところでも地上 100 キロメートルの上空であり 900 キロメートルも離れている。

The variety of aurora patterns is endless. On a clear night, a few minutes of aurora gazing can reveal incredible changes in their patterns, colour and size. Auroras are formed from an altitude of about 80 kilometres (50 miles) up to an altitude of about 500 kilometres (300 miles).

Die Formen des Polarlichts variieren grenzenlos. In einer klaren Nacht kann es in nur wenigen Minuten die unterschiedlichsten Formen und Farben annehmen. Polarlicht entsteht in einer Höhe von ca. 80–500 km.

　オーロラのパターンの変化は数限りない。澄んだ夜のオーロラを見ていると、ほんの数分間で形、色、また大きさが信じられないほど変化する。オーロラは高度 80 キロメートルから 500 キロメートルの間で形成される。

Electrical currents of millions of megawatts are discharged during a strong auroral display. The largest man-made power plants each generate a few thousand megawatts at best. Seen from space, the aurora is far brighter than all the lights from the cities across America combined.

Elektrische Ströme, Millionen von Megawatt messend, können sich bei starkem Polarlicht entladen. Die größten Kraftwerke produzieren nur einige Tausend Megawatt. Aus dem Weltraum betrachtet, erscheint das Polarlicht weitaus stärker als alle Stadtlichter in Nordamerika zusammengenommen.

　オーロラが強い時は何百万メガワットの電流が放出される。大型発電所で生み出される電力でも最大何千メガワットである。宇宙空間から見られるオーロラはアメリカ全土の都市の灯りを合わせたものより、はるかに明るい。

Aurora actually occurs almost every night in some form at high latitudes. The best place to observe it is within the auroral zone, a belt some 1,700 kilometres wide, about 2,500 kilometres (1,500 miles) from the geomagnetic pole.

Polarlicht erscheint in irgendeiner Form fast jede Nacht in höheren atmosphärischen Lagen. Die besten Bedingungen, die Leuchterscheinung zu beobachten, hat man in der Polarlichtzone, die ca. 1.700 km breit ist und sich ungefähr 2.500 km vom erdmagnetischen Pol ausdehnt.

　高緯度地方ではほとんど毎日のように なんらかの形でオーロラがでて いる。オーロラ観察に最も適してい るのは地磁気極から2500キロメー トルの、1700キロメートルの帯、 オーロラ・ゾーン内である。

When the electrically-charged particles hit air molecules in the outer layers of the atmosphere this causes them to glow. Different gases in the atmosphere cause different colours. High-altitude oxygen produces the rare red aurora, and lower altitude oxygen the common yellow-green aurora.

Wenn die von der Sonne emittierten elektrisch geladenen Teilchen auf Atome und Moleküle in den äußersten Schichten der Erdatmosphäre treffen, erzeugen sie ein Leuchten. Die verschiedenen Gase in der Atmosphäre rufen unterschiedliche Farben hervor. Sauerstoff in höheren Lagen erzeugt das seltene rote Licht, in tieferen Schichten entsteht das überwiegend gelb-grüne Polarlicht.

　荷電粒子が超高層中の大気分子と衝突して光を放たせる。　大気中のガスはそれぞれ別な色に光る。高層部の酸素はまれな赤い色のオーロラを発生するが、低高度の酸素はよく見られる黄緑色のオーロラを形成する。

"Corona" is an impressive auroral pattern most often seen during periods of high auroral activity. It forms in the middle of the sky and takes on a fan-like appearance when seen from below, usually with very rapid movements.

Die Korona ist ein beeindruckendes Polarlicht, das sich bei großer Aktivität der Aurora bildet. Sie bildet sich im erdmagnetischen Zenit, von welchem Strahlen meist in rascher Bewegung in alle Himmelsrichtungen konvergieren.

「コロナ・オーロラ」はオーロラ活動が活発な期間に形成される、見事なオーロラのパターンである。天頂にできて下から見ると扇のように広がり、非常に素早く動く。

In spite of high winds and intense cold on the 18th of February, 2002, Sigurður decided to try and shoot some aurora photographs, as the level of auroral activity was very high. He was rewarded by the most spectacular auroral display he had ever seen: green, and a lot of the red shades that are rare in Iceland.

Trotz starkem Wind und tiefen Temperaturen wollte Sigurður am 18. Februar 2002 Fotos machen, da die Aktivität des Polarlichts besonders intensiv war. Er wurde mit einem der spektakulärsten Schauspiele belohnt, die er je zu Gesicht bekommen hat: helle, grüne Lichtschwaden mit roten Rändern, die in Island besonders selten sind.

　2002 年の 2 月 18 日のこと、オーロラの活動が活発だったので、激しい風と甚だしい寒さにもかかわらず、シーグルズルはオーロラの写真を撮ろうと決意した。彼はそれまでに見たうちでも、最も壮観なオーロラ現象で報われた。アイスランドではまれな赤い影がたっぷりついた緑色のオーロラであった。

The aurora is the visible manifestation of a phenomenal energy system that is continuously pumping millions of megawatts of electromagnetic and thermal power into the upper polar atmospheres. Sometimes, the electrical current produced is more than all the electricity produced at any given time in the United States.

Polarlicht ist die visuelle Manifestation eines gigantischen Energiesystems, das kontinuierlich Millionen Megawatt an elektromagnetischer und thermischer Energie in die oberen Schichten der Atmosphäre über den Polen pumpt. Der elektrische Strom, der dabei erzeugt wird, kann größer sein als die gesamte Elektrizitätserzeugung der Vereinigten Staaten.

　オーロラは常時何百万メガワットの電磁発電、火力発電を放出している自然のエネルギーシステムが極地の上空に目に見えて現れたものであり、生み出された電力はアメリカ合衆国の全電力より大きい。

The space storm of March 1989, during the peak of a solar maximum, caused many hours of power blackouts in Canada which resulted in damage costing millions of dollars. The storm also disrupted radio communications and even threw some satellites out of orbit.

Ein kosmischer Sturm im März 1989, in einer Periode höchster Sonnenaktivität ausgelöst, verursachte mehrstündigen Stromausfall in Kanada und richtete dabei einen Schaden in Höhe von mehreren Millionen Dollar an. Der Sturm führte auch zu einem zeitweisen Zusammenbruch des Funkverkehrs und konnte Satelliten aus ihrer Bahn werfen.

　1989年3月の太陽活動最大期に起きた巨大磁気嵐のせいで、カナダでは何時間にもわたって停電になり何百万ドルの損害をもたらした。この嵐のおかげで無線通信にも混乱が起こり、また人工衛星で起動を外れたのもでてきた。

Iceland lies within the auroral zone, where aurora is a common occurrence. Here, Sigurður has captured this superb scene of an aurora in full swing.

Island liegt innerhalb der Zone, wo das Polarlicht häufig erscheint. Sigurður hat auf diesem Foto eine einmalige Szenerie mit dem Nordlicht in voller Aktion auf die Platte gebannt.

　アイスランドはオーロラがしばしば起こるオーロラ・ゾーン内に位置している。シーグルヅルはこの写真で壮麗なオーロラの最高潮の時を捉えた。

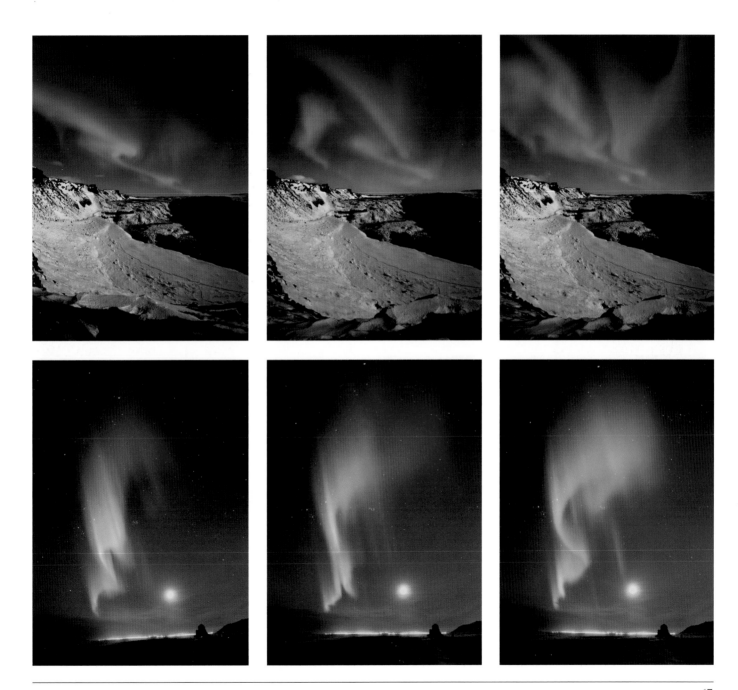

In March 1989, a severe space storm caused conditions that resulted in magnificent auroral displays in the northern hemisphere which could be seen as far south as the Gulf of Mexico.

Der kosmische Sturm im März 1989 löste ebenfalls ein großartiges Polarlicht in der nördlichen Hemisphäre aus, das bis zum Golf von Mexiko zu sehen war.

1989 年 3 月の巨大磁気嵐はメキシコ湾でさえも望むことができたほどの素晴らしいオーロラを北半球に発生させた。

On the 1st of September, 1859, one of the greatest aurora ever witnessed occurred. Most likely it was the greatest aurora in the past two hundred years. It spread down to low latitudes, and even in Cuba people saw an aurora directly overhead that night. This spectacular display took place only a few hours after a solar flare was seen for the first time.

Am 1. September 1859 wurde eines der großartigsten Polarlichter in historischer Zeit beobachtet, wahrscheinlich die größte Aurora der letzten 200 Jahre. Das Licht konnte sich in geringer Höhe ausbreiten und wurde selbst in Kuba direkt am Himmelszenit gesehen. Diese spektakuläre Erscheinung fand nur wenige Stunden nach der ersten Beobachtung eines Sonnen–Flares statt.

　1859 年 9 月 1 日、今まで目撃された中で、最も壮麗なオーロラの 1 つが見られた。多分ここ 200 年間に起こった最も素晴らしいオーロラだっただろう。低緯度の地域にまで広がり、キューバの人々でさえ頭上にオーロラが見られたのだ。この壮観な光景はフレア・太陽爆発を始めて見ることのできた数時間後に起こった。

The aurora has been a source of a myriad of myths, fears and superstitions, ranging from the supernatural to reflections of fires of war at the edge of the world. In later days people thought the aurora was reflected sunlight.

Das Polarlicht ist Quelle für eine Fülle von mythischen Sagen, Ängsten und Aberglauben. Die Geschichten rangieren vom Übernatür-lichen bis zu Versuchen rationaler Erklärung. So hielt man das Polarlicht für Kriegsfeuer am Rande der Welt und später für reflek-tiertes Sonnenlicht.

　オーロラは、例えば超自然的なものであるとか、世界の果てで起きている戦争の炎の反映であるとか言った、無数の神話、怖れ、また迷信の源泉であった。後の時代には人々はオーロラが太陽光の反射したものだと思ったりもした。

One night, Sigurður had planned to photograph an aurora reflected in Lake Þingvallavatn. The weather was calm, but the intense cold of −20°C had ice forming on the lake's surface, which reduced the reflection, as ice is not as good a reflecting surface as still water.

Sigurður hatte geplant, eine Reflektion des Polarlichts auf dem See Þingvallavatn aufzunehmen. Die Nacht war windstill und eisig. Bei −20°C war die Seeoberfläche gefroren. Doch Eis ist kein so guter Reflektor wie ruhiges Wasser.

　この夜、シーグルヅルはシングベトリル湖（Lake　Thingvellir)に反映するオーロラを撮ろうと計画していた。天候は穏やかで風もなかったのだが、−20度Ｃの強烈な寒さで、湖の表面に氷が張り、氷は静水ほど反射効果が無いから、反射光が減少してしまった。

Aurora
© Sigurður H. Stefnisson & Jóhann Ísberg 2002

Designer & creative editor: Jóhann Ísberg
Photographs: Sigurður H. Stefnisson
Text: Jóhann Ísberg
German translation: Helmut Hinrichsen
Japanese translation: Takako Inaba Jónsson
Printing: Almarose, Slovenia

1st. edition 2002
Reprinted 2012, 2015

JPV PUBLISHERS · Reykjavík · 2015

ISBN 9979-761-64-4 / 978-9979-761-64-8
ISBN 9979-761-69-5 / 978-9979-761-69-3
ISBN 9979-761-70-9 / 978-9979-761-70-9

www.forlagid.is

References

Falck-Itter, Harald: *Aurora – The Northern Lights in Mythology, History, and Science*. Bell Pond Books, 1999
Geophysical Institute, Alaska: *Alaska Science Forum Web*. http://www.gi.alaska.edu
GI, Fairbanks Alaska: *Geophysical Institute Web*. http://www.gi.alaska.edu
Háskóli Íslands: *Vísindavefurinn*. http://www.visindavefur.hi.is
The Johns Hopkins University: *JUH/APL SpaceWeb*. http://www.jhu.edu
NASA, USA: *NASA Webs*. http://www.nasa.gov
National Academy of Sciences, USA: *Space weather Web*. http://www.spaceweather.com
Nordlyssentered AS, Norway: *Nordlys Web*. http://www.nordlys.no
Símon Jón Jóhannsson: *Stóra hjátrúarbókin*. Vaka-Helgafell, Reykjavík, 1999
Space.com Inc, USA: *Explorezone.com*. http://www.explorezone.com
Space Environment Center, USA: *Space Environment Center Web*. http://www.spaceweather.com
University of Wisconsin, USA: *The Why Files Web*. http://www.whyfiles.org

Thanks to:

Jón Skaptason, Ph.d., Sigurður Steinflórsson, Ph.d., Þorsteinn Sæmundsson, Ph.d., Heidi Greenfield, Sigurður Helgason, Arnold Björnsson